**Name and surname:** ……………………………………………………

**Current course:** …………………………….. **Center:** ………………………..

LOMLOE. ACTIVATE YOUR SKILLS 2

ISBN Libro en papel: 978-84-685-8344-0

ISBN eBook en PDF: 978-84-685-8276-4

Impreso en España Editado por Bubok Publishing S.L

# LOMLOE. Activate your skills 2

Roberto Vivanco Castellanos

# INDEX

# GEOGRAPHY (ACTIVITIES)

**1.- What are the main indicators that tell us about the population?**

**2.- Find out how the following demographic formulas are calculated**

| POPULATION DENSITY | BIRTH RATE | DEATH RATE |
|---|---|---|
|  |  |  |
| NET MIGRATION | NATURAL GROWTH | NATURAL GROWTH RATE |
|  |  |  |

**3.- How is population growth in developed countries? What factors explain it?**




**4.- How is population growth in less developed countries? What factors explain it?**




**5.- How is the real population growth calculated?**




**6.- Observe the following demographic data and apply the corresponding demographic formulas**

| Population | Area | Births | Deaths | Inmigrants | Emigrants |
|------------|------|--------|--------|------------|-----------|
| 10 mill hab. | 500.000 km | 50.000 | 30.000 | 45.000 | 15.000 |

**Averigua:**

| Population Density | Natural Growth | Birth Rate | Mortality Rate | Net Migration |
|--------------------|----------------|------------|----------------|---------------|
|  |  |  |  |  |

**7.- What is a population pyramid?**


**8.- Identify the following population pyramids and describe their characteristics.**

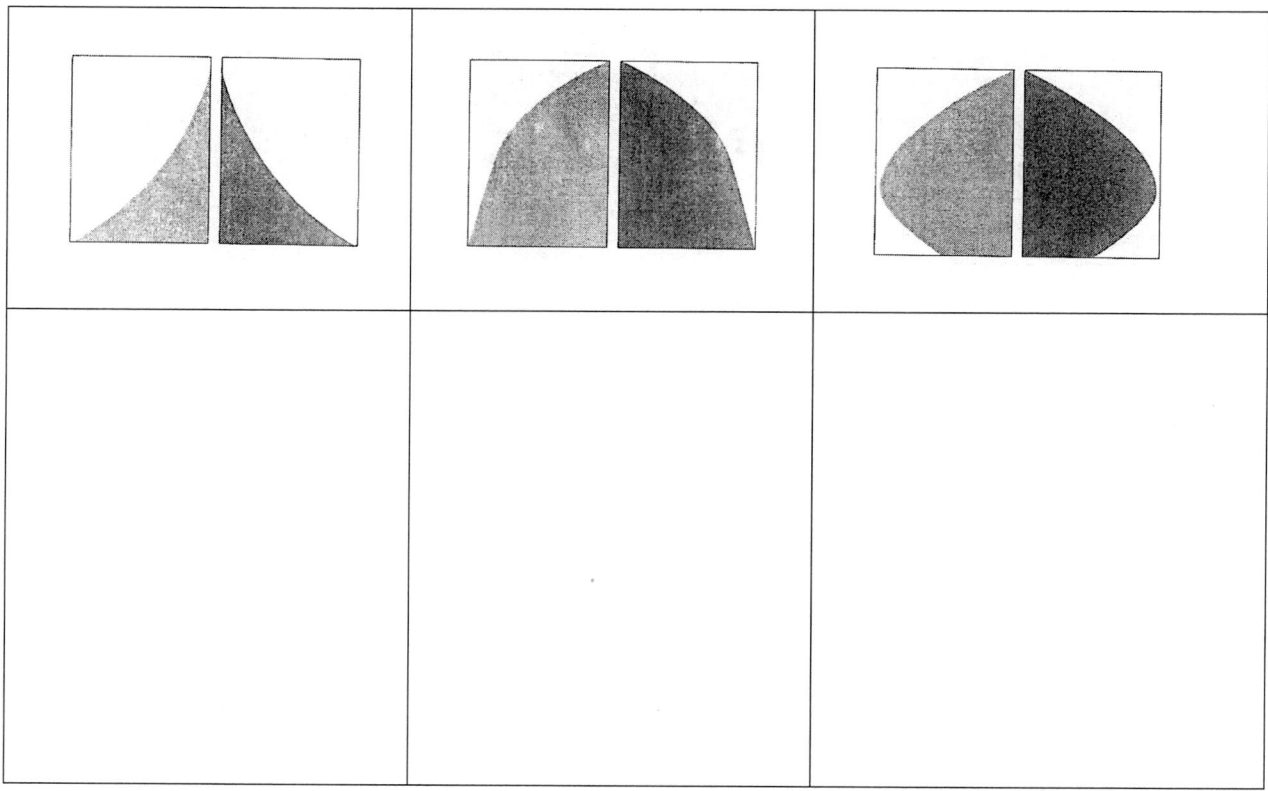

**9.- The structure of the population by age can be classified into …**

|  |  |  |
|--|--|--|
|  |  |  |

**10.- What factors explain the aging of the population?**

**11.-** What economic consequences can an aging population have?

**12.-** How can migratory movements be classified? Create a diagram and provide an example.

**13.-** Complete the following table:

| DIFFERENCES BETWEEN PRONATALIST AND ANTINATALIST POLICIES | |
|---|---|
| PRONATALIST POLICIES | ANTINATALIST POLICIES |
| | |

**14.- Find the following words in the word search:**

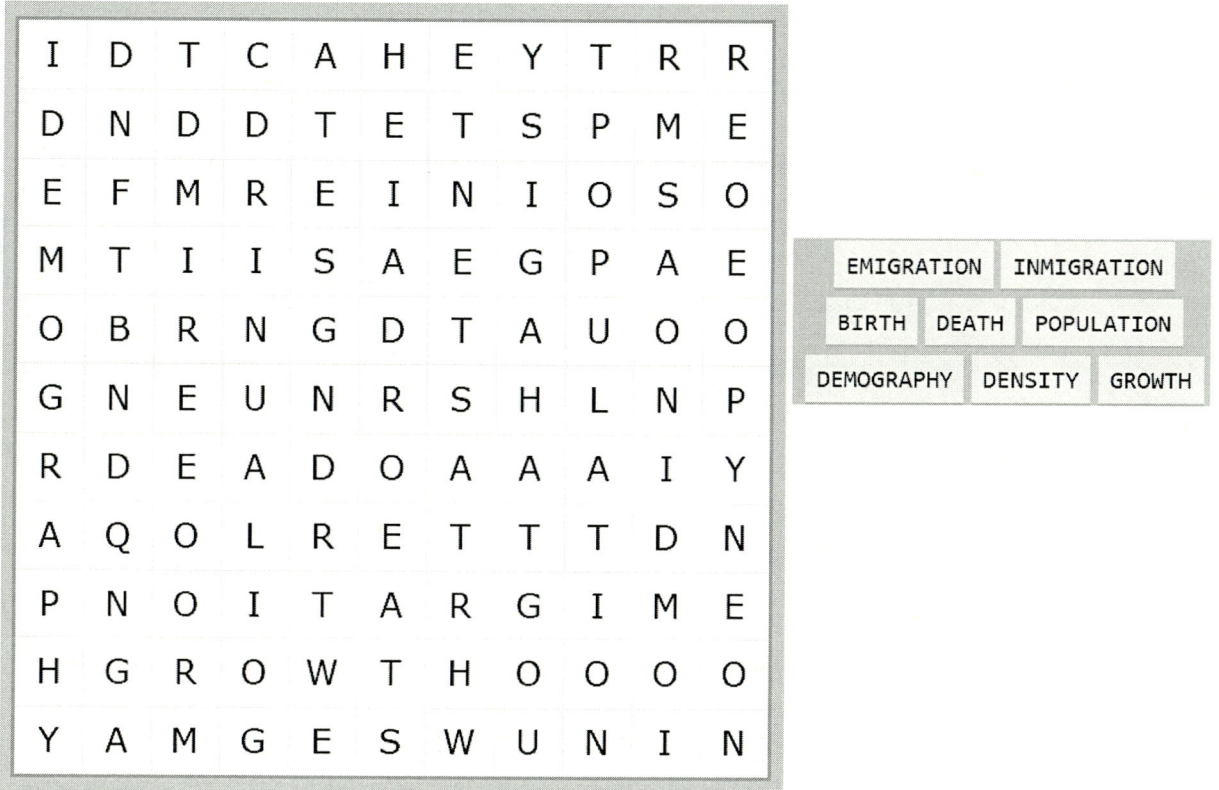

| | | | | | | | | | | |
|---|---|---|---|---|---|---|---|---|---|---|
| I | D | T | C | A | H | E | Y | T | R | R |
| D | N | D | D | T | E | T | S | P | M | E |
| E | F | M | R | E | I | N | I | O | S | O |
| M | T | I | I | S | A | E | G | P | A | E |
| O | B | R | N | G | D | T | A | U | O | O |
| G | N | E | U | N | R | S | H | L | N | P |
| R | D | E | A | D | O | A | A | A | I | Y |
| A | Q | O | L | R | E | T | T | T | D | N |
| P | N | O | I | T | A | R | G | I | M | E |
| H | G | R | O | W | T | H | O | O | O | O |
| Y | A | M | G | E | S | W | U | N | I | N |

| EMIGRATION | INMIGRATION |
|---|---|
| BIRTH | DEATH | POPULATION |
| DEMOGRAPHY | DENSITY | GROWTH |

**15.- What demographic indicators are associated with aging?**

**16.- What is a migratory movement?**

**17.- What are the main causes of migratory movements?**

**18.- What factors influence a high population density?**

**19.- What factors influence a low population density?**

**20.- Indicate the causes of rural depopulation compared to cities**

**21.- Why is it said that the population in the European Union is predominantly urban?**

**22.- Which are the most densely populated areas in Spain? What is the reason for this situation?**

**23.- Search online for the five countries with the highest median age in Europe. Investigate the causes of this high median age of the population.**

**24.- Observe the following chart and explain how the population has evolved in developed countries.**

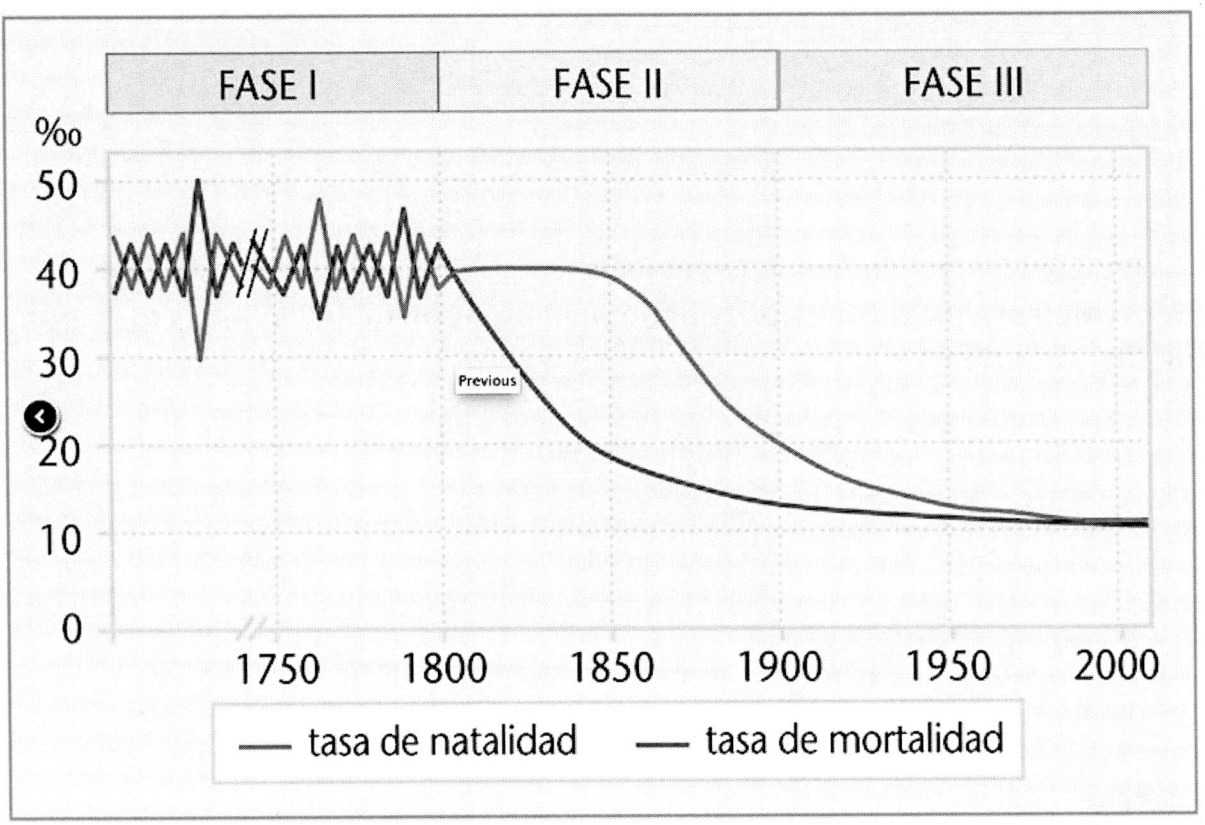

FASE I   FASE II   FASE III

‰

Previous

— tasa de natalidad   — tasa de mortalidad

**25.- What is extreme poverty? Which countries and continents are primarily affected by it?**

**26.- Observe the following graph and explain how the population has evolved in developing countries..**

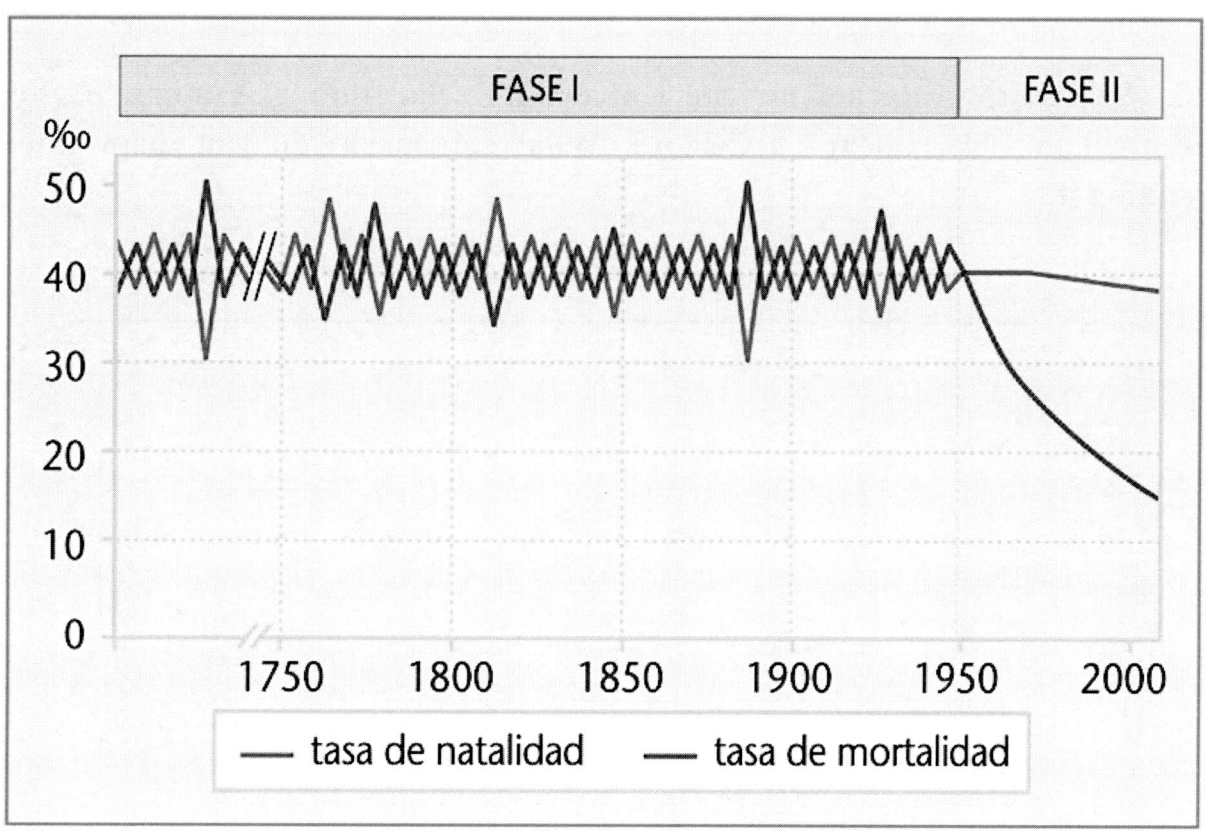

**27.- Do you believe that gender inequality exists? In what sectors or aspects? Give two examples.**

**28.-** Search the internet for the Universal Declaration of Human Rights adopted in 1948. Locate Article 13. What conclusion do you draw after reading it?

**29.-** Do you think natural disasters have a greater impact on developing countries? Why?

**30.-** Search the internet for information about an NGO that combats inequalities among people. Indicate when it emerged and what its main objectives are

**31.-** What factors are necessary to consider a locality as a city?

**32.- What is an urban plan?**


**33.- Identify the name of each of these urban plans..**

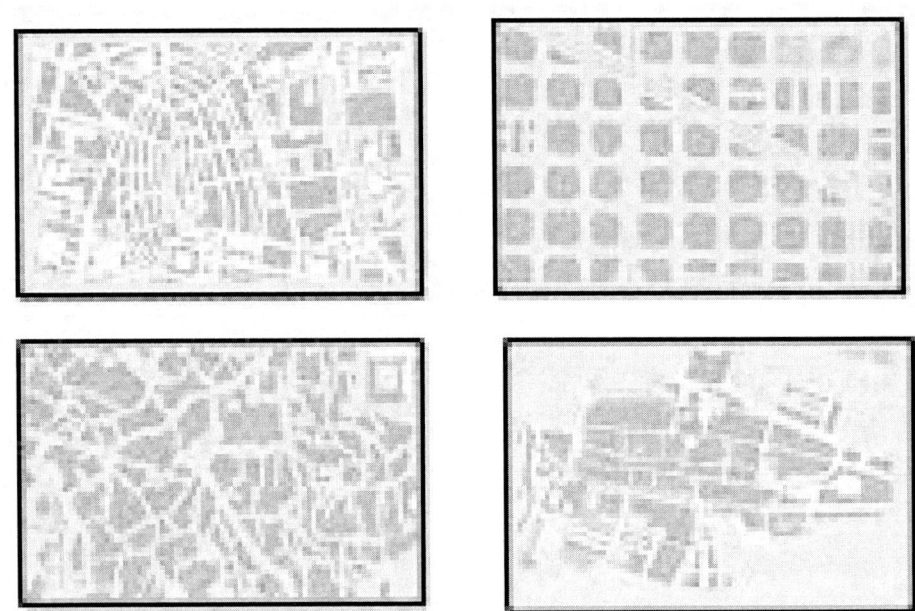


**34.- What characteristics does a linear plan have?**


**35.- What characteristics does a radiocentric plan have?**


**36.- What characteristics does a regular plan have?**

**37.- What characteristics does an irregular plan have?**

**38.-** Locate the following words in the word search puzzle

| CITY | PLAN | CONURBATION |
| URBAN | TOWN | STREET | REGULAR |
| IRREGULAR | RADIOCENTRIC |
| METROPOLITAN |

| R | R | A | D | I | O | C | E | N | T | R | I | C |
|---|---|---|---|---|---|---|---|---|---|---|---|---|
| S | A | C | G | G | E | Y | E | E | N | R | M | A |
| U | R | O | S | R | T | N | D | A | M | T | E | N |
| D | R | N | Y | I | E | T | A | E | I | U | T | L |
| Ñ | R | U | C | U | A | G | M | B | A | B | R | I |
| E | E | R | B | D | A | I | U | C | R | A | O | V |
| U | T | B | O | B | A | A | A | L | L | U | P | E |
| R | U | A | R | W | E | O | C | U | A | L | O | E |
| A | S | T | R | E | E | T | G | N | T | R | L | O |
| O | N | I | C | D | A | E | R | I | B | U | I | N |
| N | A | O | C | C | R | E | R | E | E | R | T | N |
| R | L | N | E | R | E | E | E | U | T | E | A | R |
| E | P | U | I | Z | T | O | W | N | A | U | N | L |

**39.- Search the internet for a map of a Spanish city with an irregular map. It indicates its origin, when it was created and its main characteristics.**

**40.- What is a metropolitan city? Give an example.**

**41.- What is a conurbation? Give an example.**

**42.- What is a megacity or megalopolis? Give an example**

**43.- Search for information on the internet and indicate what a PGOU (General Urban Planning Plan) is.**

**44.- What is an urban hierarchy?**

**45.- Make a diagram in which the main categories of the urban hierarchy of a country appear.**

.

**46.- How the Spanish urban hierarchy is composed?**

**47.- What is a slum? What characteristics identify it?**

**48.- What challenges do you think are necessary to achieve sustainability in cities?**

**49.- What is an intelligent city or "smart city"?**

**50.- Find information about the name of an old street in your city. Why was it given that name? What origin does it have?**

**POPULATION CENSUS:**


**MUNICIPAL REGISTER:**


**BIRTH:**


**FERTILITY:**


**MORTALITY:**


**VEGETABLE BALANCE:**


**MIGRATORY BALANCE:**


**PRONATALIST POLICY:**


**ANTI-NATALIST POLICY:**


**LIFE EXPECTANCY:**


**POPULATION PYRAMID:**


**MIGRATORY MOVEMENT:**

**EMIGRANT:**

**IMMIGRANT:**

**POPULATION DENSITY:**

**EXTREME POVERTY:**

**GENDER EQUALITY:**

**UNO:**

**NGO:**

**SDG (SUSTAINABLE DEVELOPMENT GOALS):**

**SETTLEMENT:**

**RURAL SETTLEMENT:**

**URBAN SETTLEMENT:**

**FLAT:**

**EXPANSION:**

**URBAN PERIPHERY:**

**CBD:**

**METROPOLITAN AREA:**

**CONURBATION:**

**MEGALOPOLIS:**

**URBAN HIERARCHY:**

**GLOBAL CITY:**

**EUROPEAN PENTAGON:**

**SUSTAINABILITY:**

**GHETTOES:**

**INTELLIGENT CITY OR SMART CITY:**

**STATE:**


**INTERNATIONAL ORGANIZATIONS:**


**UNESCO:**


**ILO:**


**WHO:**


**WTO:**


**BLUE HELMETS:**


**EUROPEAN UNION:**

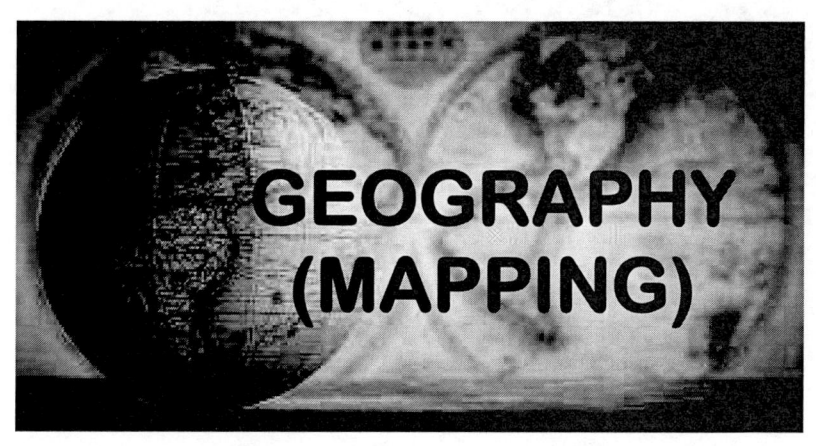

**1.- Complete the political map of Europe with the names of the countries.**

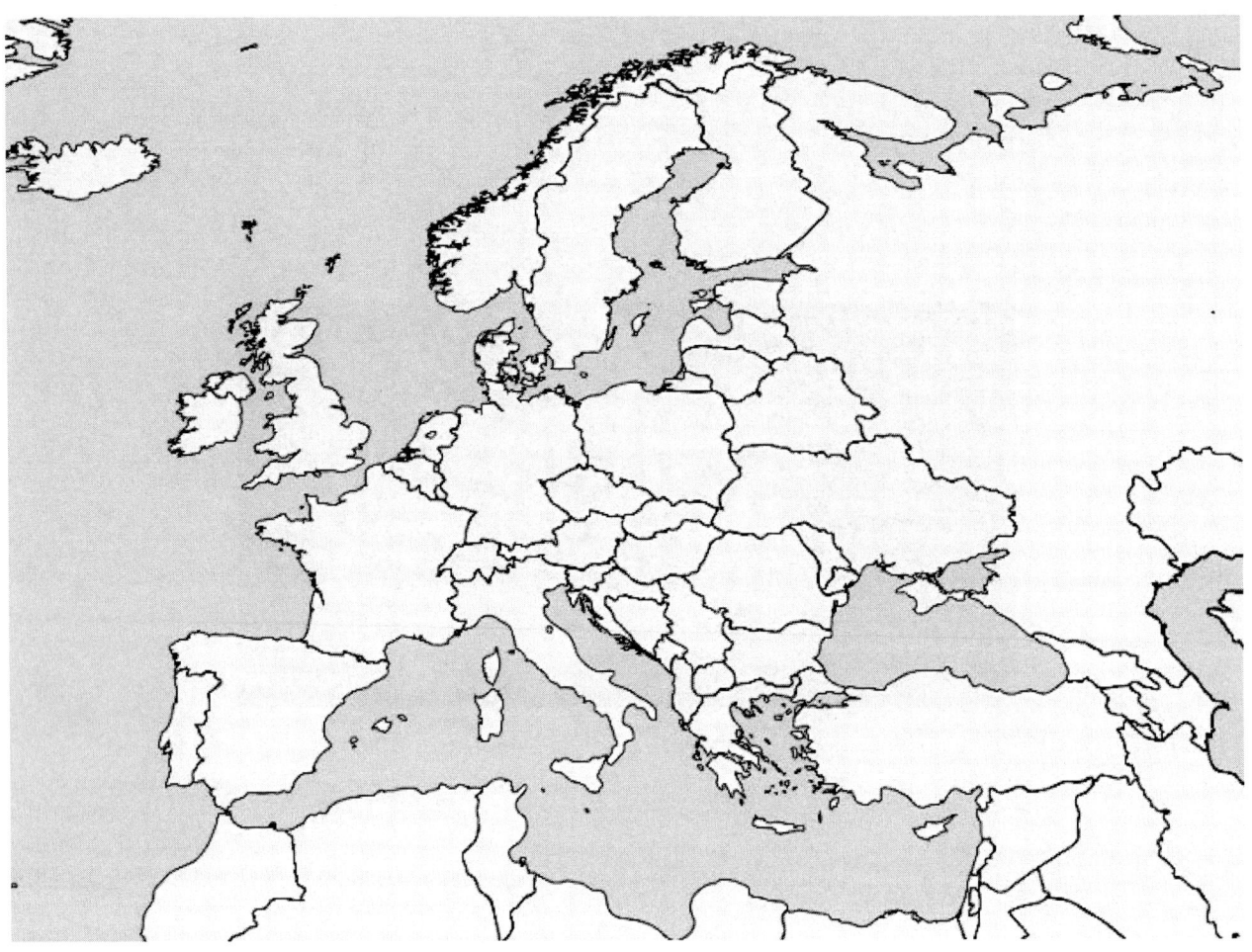

**2.- Complete the political map of Asia with the names of the countries.**

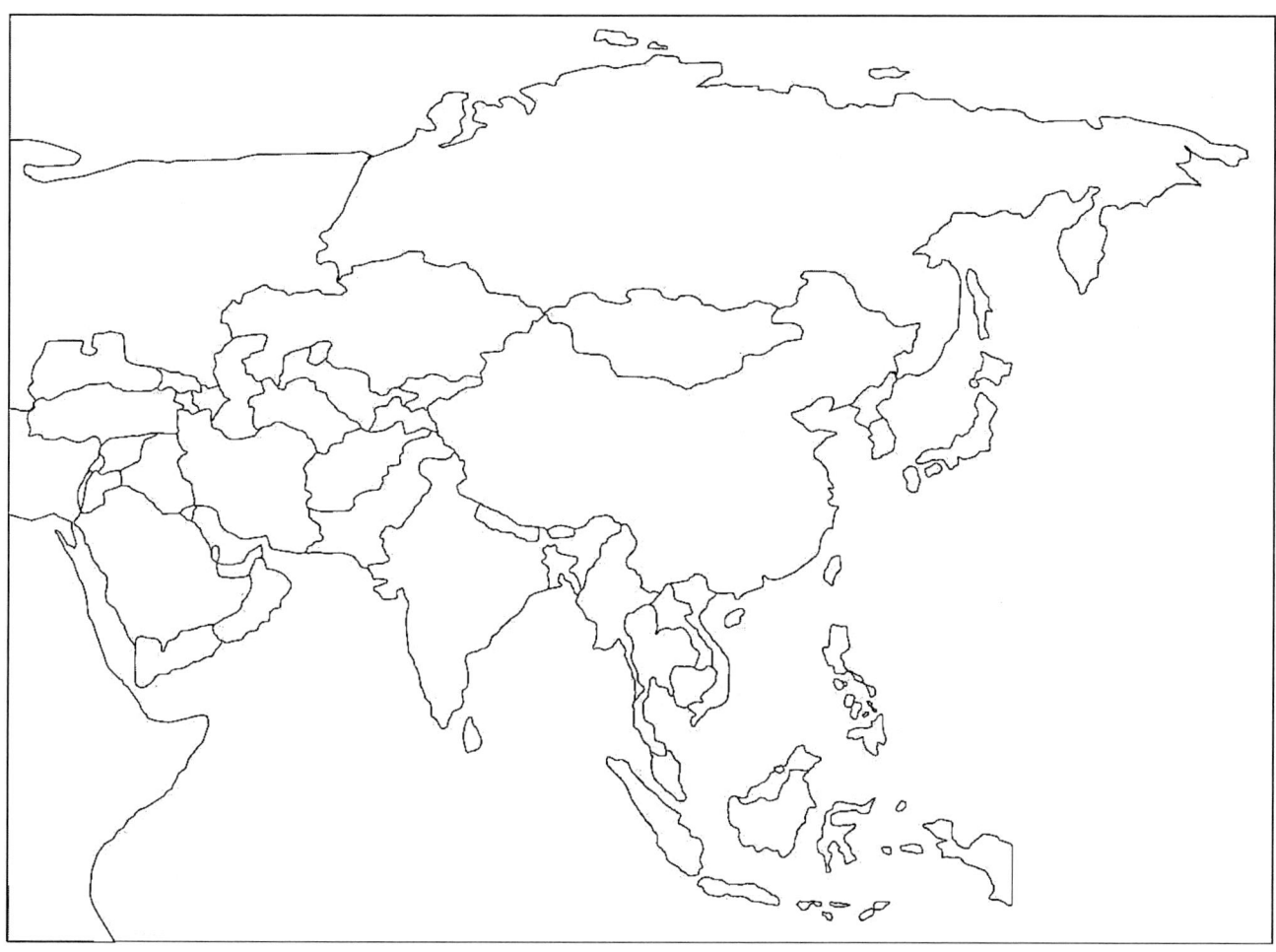

**3.- Complete the political map of Africa with the names of the countries.**

**4.- Complete the political map of America with the names of the countries.**

**5.- Complete the political map of Oceania with the names of the countries.**

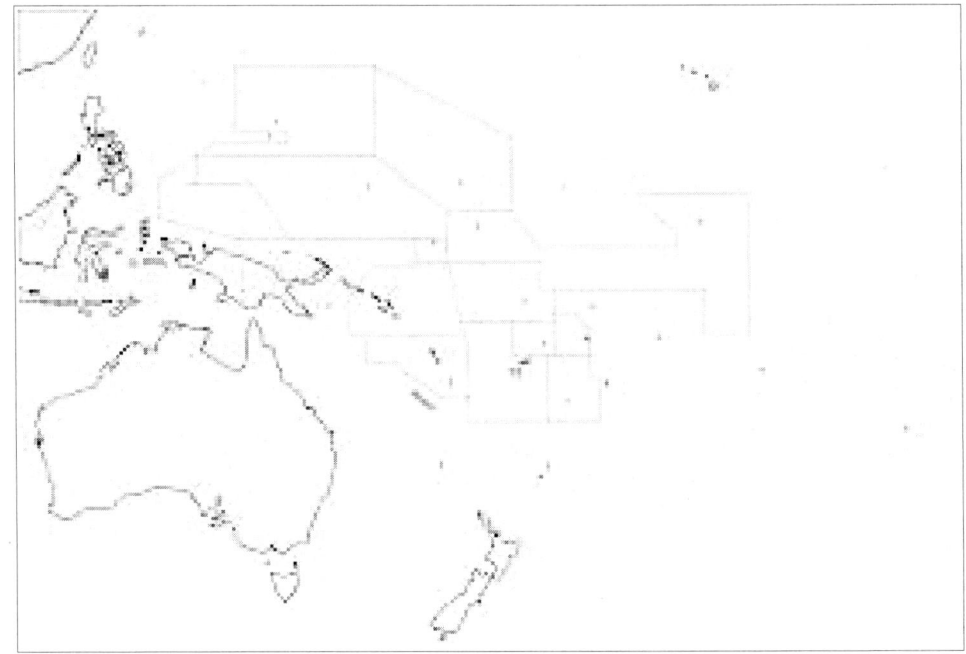

**6.- Complete the political map of Spain with the name of the provinces.**

**7.- Complete the political map of Spain with the name of the autonomous communities**

**8.- Color on the map the areas with negative annual population growth.**

## 9.- Indicates with dates the main international migratory flows.

## 10.- Color the areas with the highest population density.

**11.- Put the name of the countries that belong to the European Union.**

**12.- Complete the following map of Spain, indicating the areas with the highest population density..**

**13.- What areas of the map have "extreme poverty"?**

**14.- Point out on the map where the main megalopolises in the world are located.**

**17.- Mark the main national metropolises on the map**

**16.- Mark the "European Pentagon" on the map.**

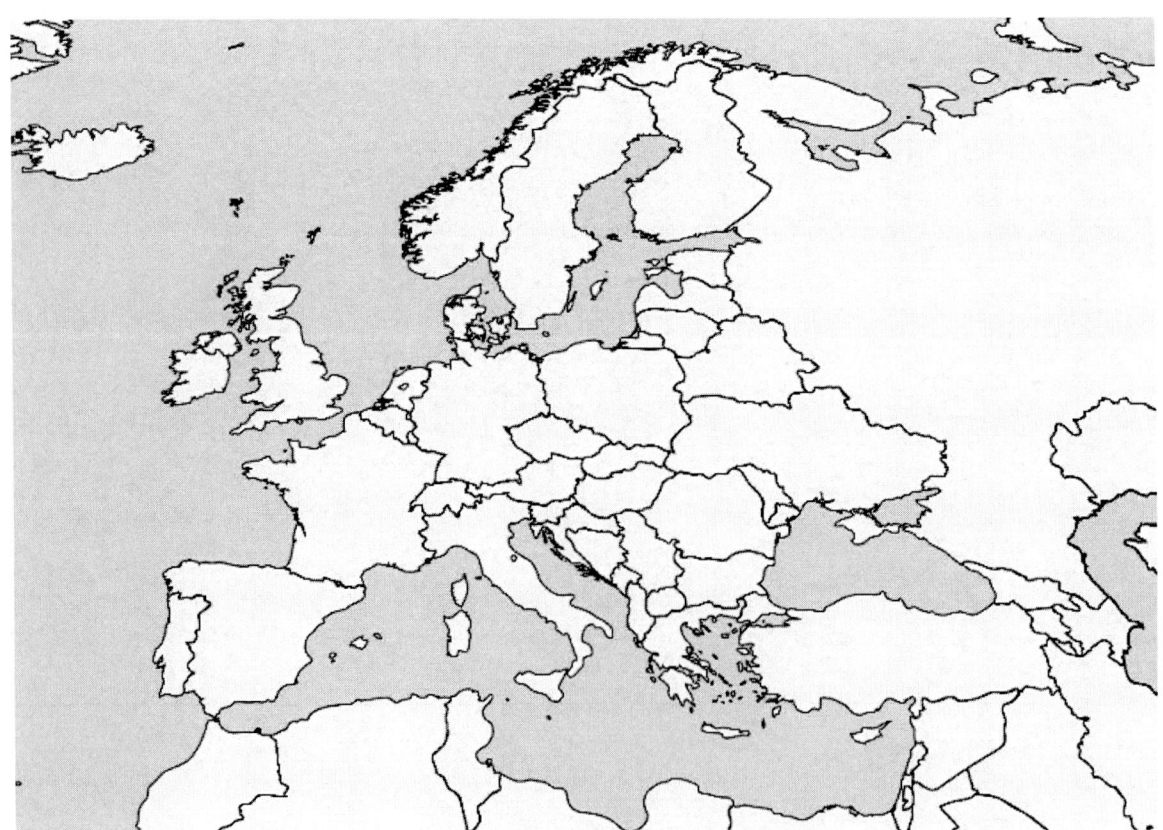

**18.- Point out the countries in which there are armed conflicts.**

# HISTORY (ACTIVITIES)

**1.-** ¿Con qué acontecimiento comienza la Edad Media?

**2.-** ¿Quién fue Teodosio y por qué fue importante?

**3.-** ¿Quiénes fueron los visigodos? ¿Cómo llegaron a la península ibérica?

**4.-** ¿Cómo se relacionaron los pueblos germanos con la población romana?

**5.- ¿Dónde establecieron su capital los visigodos?**

- **Indica al menos cuatro características propias de los visigodos**

**6.- Observa la imagen del tesoro de Guarrazar (Toledo) y explica que es una corona votiva.**

**6.-¿En qué se diferencia una planta de cruz griega y una de cruz latina? Realiza un boceto de cada una de ellas para poder compararlas.**

**Investiga**

**7.-** Busca una imagen de una iglesia visigoda. Pégala en tu cuadernillo. Indica su nombre, localización y fecha aproximada de construcción.

**8.-** ¿Dónde estaban ubicados los francos?

**9.-** ¿Quién fue Carlomagno? ¿Por qué fue importante?

**10.- Localiza las siguientes palabras en la sopa de letras:**

| | | | | | | | | | | | | |
|---|---|---|---|---|---|---|---|---|---|---|---|---|
| A | O | N | A | M | R | E | G | M | A | O | O | S |
| S | R | E | I | T | I | O | P | A | G | S | A | O |
| C | U | A | E | L | T | C | D | D | E | A | C | R |
| A | O | N | O | A | O | V | R | T | R | T | R | C |
| R | I | N | A | A | S | C | E | A | A | R | D | O |
| L | A | O | I | M | S | O | O | S | C | S | A | N |
| O | L | P | E | T | D | S | U | R | R | L | M | D |
| M | C | G | D | O | N | E | L | O | A | C | S | A |
| A | I | E | S | E | L | A | S | N | M | O | E | D |
| G | O | I | N | I | R | E | Z | D | O | N | E | O |
| N | O | S | S | O | V | I | S | I | G | O | D | O |
| O | R | A | O | S | N | E | O | R | B | A | P | E |
| O | B | O | J | L | D | V | C | O | N | O | U | N |

**11.- ¿Qué es un condado?**

**12.-** ¿Qué es una marca?

**13.-** ¿Quién fue Mahoma? ¿Por qué fue importante?

**14.-** ¿Qué es el Corán? ¿Qué contiene?

**15.-** ¿Cuáles son los cinco pilares del islam?

-

-

-

-

-

**16.-** ¿Qué es la "Hégira"? ¿Qué simboliza? ¿Qué relación tiene con el calendario musulmán?

**17.- Observa la siguiente imagen de la Kaaba y contesta a las siguientes cuestiones:**

- **¿Dónde se encuentra?**


- **¿Qué representa?**


- **¿Por qué crees que es tan importante para los musulmanes?**


**18.- Completa la siguiente tabla:**

| ETAPAS DE EXPANSIÓN DEL ISLAM | | | |
|---|---|---|---|
| **Nombre** | | | |
| **Cronología** | | | |
| **Principales Características** | | | |

**19.- ¿Qué es un califa? ¿Cuáles son sus funciones?**

**20.- ¿Qué es un visir? ¿Cuáles son sus funciones?**

**21. Elabora un eje cronológico (línea del tiempo), con las principales etapas de expansión del islam**

**22.- ¿Cuáles fueron las principales actividades económicas que desempeñaron los musulmanes?**

**Investiga**

**23.- ¿A qué llamamos "medina"?**

Nombra al menos cuatro edificios significativos que formen parte de la medina.

**Investiga**

**24.- Busca en internet y completa la siguiente tabla:**

| Tres inventos de origen musulmán | Tres palabras de origen musulmán |
|---|---|
|  |  |
|  |  |
|  |  |

**25.- Completa con los nombre las partes más importantes de la mezquita.**

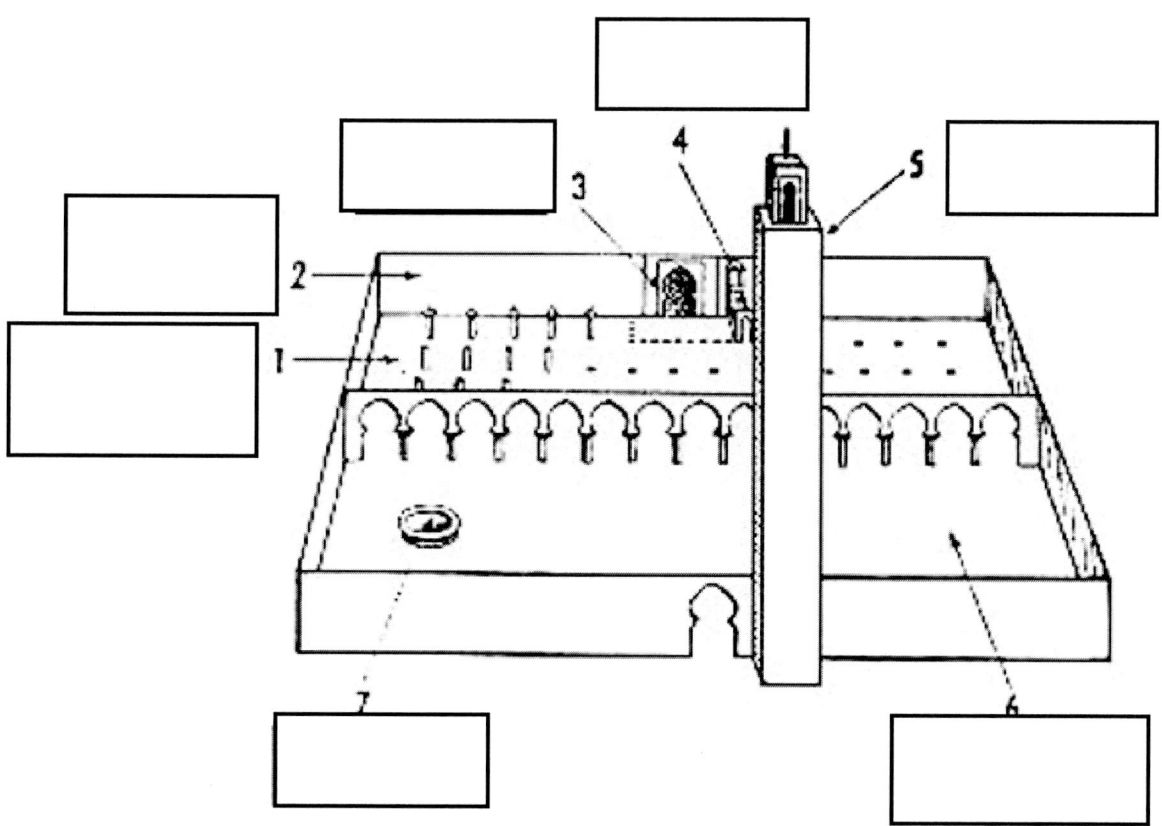

**26.- ¿Qué es el feudalismo? ¿En qué consiste?**

**27.- Localiza las siguientes palabras en la sopa de letras:**

| CALIFATO | VISIR | EMIRATO |
| CORAN | MAHOMA | MECA | MEDINA |
| ALHAMBRA | MEZQUITA | RAMADAN |
| GUADALETE | MUSA | TARIQ |

| E | N | O | L | O | R | O | I | O | A | U | T | A |
|---|---|---|---|---|---|---|---|---|---|---|---|---|
| N | A | R | O | C | M | A | T | M | A | I | T | N |
| Q | M | O | A | I | I | A | M | A | D | I | N | E |
| A | O | R | A | L | F | U | E | A | U | E | A | E |
| D | H | N | T | I | H | E | T | Q | D | C | A | N |
| M | A | A | L | T | A | A | Z | A | T | A | D | E |
| E | M | A | R | M | I | E | M | S | Q | A | N | M |
| Ñ | C | A | L | O | M | A | C | B | I | A | F | I |
| G | U | A | D | A | L | E | T | E | R | Q | U | R |
| N | R | I | S | I | V | S | R | A | A | A | M | A |
| N | T | M | O | S | I | S | A | T | T | O | E | T |
| I | S | M | U | S | A | D | A | A | H | E | C | O |
| E | A | S | M | E | D | I | N | A | A | A | T | A | E |

**28.- ¿Cuál fue el origen, (causas), del feudalismo?**

**29.- ¿Qué es un feudo? ¿Cómo estaban organizados los feudos?**

**30.- Dibuja una pirámide de la sociedad feudal. Indica sus principales características y funciones.**

**31.- Observa la siguiente imagen y contesta:**

**¿Qué fueron las relaciones feudovasalláticas? ¿En qué consistieron?**

**Investiga**

**32.- Busca una imagen de un castillo medieval. Pégala en el cuadernillo y señala con flechas las partes más importantes.**

**33.- ¿En qué dos grupos se dividía la nobleza?**

**34.- ¿En qué se diferencian el clero regular del clero secular?**

**35.- ¿Qué es el diezmo?**

**36.- ¿Cómo consideras que era la situación del campesinado durante la Edad Media?**

**37.- Completa la siguiente tabla sobre el Arte Románico.**

| ARTE ROMÁNICO | |
|---|---|
| CRONOLOGÍA | |
| DIFUSIÓN | |
| ELEMENTOS CONSTRUCTIVOS | |
| PRINCIPAL/ES CONSTRUCCIÓN/ES | |
| EJEMPLOS | |

**38.- Busca en internet la planta de una iglesia románica y pégala en tu cuadernillo. Señala con flechas las partes más importantes.**

**39.- Completa la siguiente tabla sobre la escultura románica.**

| ESCULTURA ROMÁNICA | |
|---|---|
| FUNCIÓN | |
| UBICACIÓN | |
| TEMÁTICA | |
| TIPOLOGÍA | |
| CARACTERÍSTICAS | |

**40.- Observa la siguiente imagen e indica con flechas los nombres de las partes más importantes:**

**41.- ¿Qué es un pantocrátor?**

**¿Dónde se sitúan normalmente?**

**¿Qué características pictóricas posee?**

**42.- Completa la siguiente tabla:**

| ARTE GÓTICO | | |
|---|---|---|
| | **CARACTERÍSTICAS GENERALES** | **TRES EJEMPLOS** |
| **ARQUITECTURA** | | |
| **ESCULTURA** | | |
| **PINTURA** | | |

**43.- Indica las diferencias de cada una de estas dos esculturas y clasifícalas según el estilo artístico al que pertenezcan.**

**44.- Localiza las siguientes palabras en la sopa de letras:**

**45.- Ordena los siguientes conceptos en un eje cronológico e indica sus principales características:**

**Emirato Independiente / Conquista de la Península Ibérica / Reinos de Taifas / Califato de Córdoba**

**46.- ¿Qué es un emirato?**

**47.- Busca en internet cómo se construyó la mezquita de Córdoba teniendo en cuenta sus ampliaciones. Realiza una breve redacción de no más de 8 líneas.**

**48.-** ¿Cuáles son las dos manifestaciones arquitectónicas más importantes del arte califal en Al-Ándalus?

**49.-** ¿Dónde se refugiaron los cristianos tras la conquista musulmana?

**50.-** ¿A qué llamamos "Reconquista"?

**51.-** ¿Cuáles fueron los principales reinos de resistencia cristiana contra los musulmanes? ¿Quiénes fueron sus principales gobernantes?

**52.-** ¿Cuáles fueron los principales sistemas de repoblación? ¿En qué consistieron?

**Investiga**

**53.- ¿Con qué tipo de arte se corresponde la Iglesia de Santa María del Naranco? ¿Qué rasgos posee?**

**54.- Localiza las siguientes palabras en la sopa de letras:**

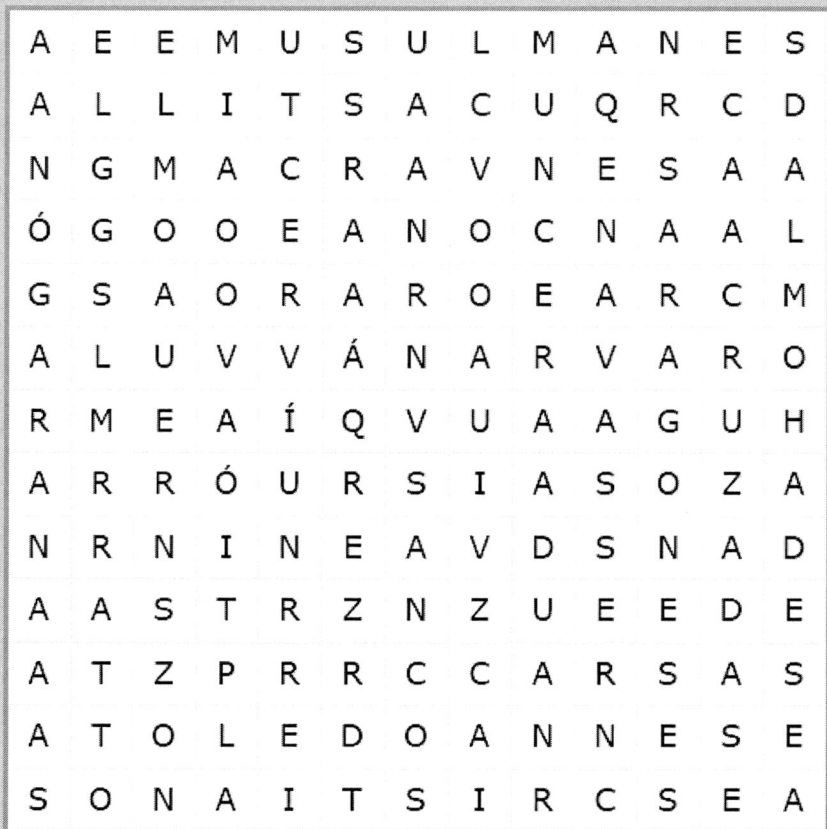

CASTILLA | ARAGÓN | NAVARRA

LEÓN | NAZARÍ | ARAGONESES

RECONQUISTA | CRISTIANOS

MUSULMANES | CRUZADAS | RRCC

TOLEDO | NAVAS | ALMORÁVIDES

ALMOHADES | PRESURA

**Investiga**

**55.- Busca en internet una construcción en la provincia en la que resides que tenga influencia musulmana. Indica su nombre, ubicación, fecha de construcción y finalidad.**

**56.- ¿Qué es el Camino de Santiago? ¿Cuál es su origen?**

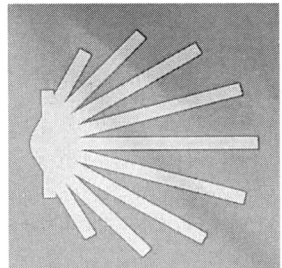

**Investiga**

**57.-** Busca en internet una imagen del Pórtico de la Gloria de la Catedral de Santiago de Compostela. Pégala en tu cuadernillo e identifica con flechas sus principales partes.

**58.-** ¿Qué causas explican la recuperación urbana del siglo XI?

**59.- ¿Qué es un burgo? ¿Qué funciones tenía?**

**60.- ¿Qué es un gremio? ¿Cómo estaba organizado?**

**61.- Indica las principales novedades de carácter económico desarrolladas durante la Plena Edad Media.**

**62.- Observa la siguiente imagen, investiga y contesta a las siguientes cuestiones:**

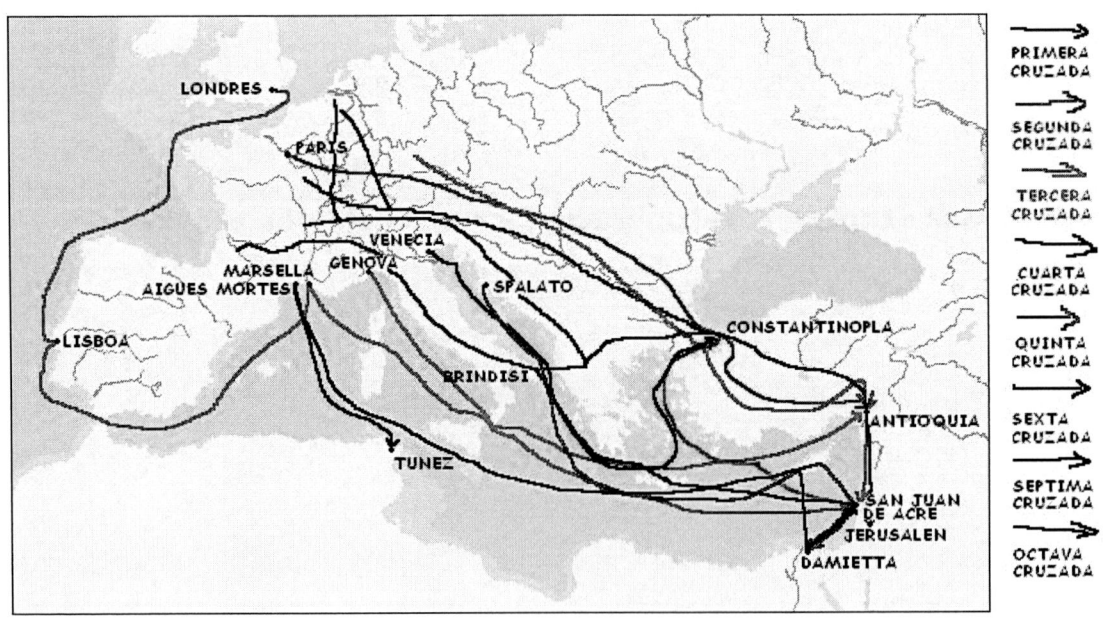

**63.-¿Qué son las cruzadas? ¿Cuándo surgieron? ¿Con qué finalidad se hicieron? Realiza una breve redacción de no más de 8 líneas.**

**64.- ¿En qué se diferencian una orden mendicante y una orden militar?**

**65.- ¿Por qué el arte gótico se asocia al urbanismo? ¿Cuándo surge?**

**66.- Realiza un esquema de la arquitectura gótica en el que aparezcan sus características generales, elementos constructivos y principales edificios.**

**Investiga**

**67.- Busca en internet una imagen de una construcción gótica de tu provincia. Indica su nombre, cuándo se construyó, quién la realizó y cuál fue su función.**

**68.- Indica cinco características comunes de la escultura y pintura gótica.**

**69.- Identifica con flechas y nombra los principales elementos constructivos de la siguiente imagen.**

**70.- Observa la siguiente imagen y contesta:**

- ¿Qué es una vidriera?  ¿Qué funciones tiene?

**71.- Investiga:**

**Localiza en internet una imagen de la planta de una iglesia gótica. Pégala en tu cuadernillo y mediante flechas indica las partes más importantes.**

**72.- ¿Qué rey cristiano conquistó Toledo en el año 1085?**

**73.- ¿Quiénes fueron los almorávides? ¿Cómo llegaron a la Península Ibérica?**

**74.- ¿Qué fue el reino nazarí de Granada? ¿Qué territorio ocupaba?**

**75.- ¿Cuándo se unieron definitivamente los reinos de Castilla y León? ¿Qué rey lo hizo posible?**

**76.- ¿Qué estamentos conformaban la sociedad del siglo XI? ¿Qué funciones tenían?**

**77.- ¿Quiénes fueron los mudéjares? ¿Dónde vivían? ¿Cómo estaban considerados socialmente?**

**Investiga**

**78.- ¿Qué fue la Escuela de Traductores de Toledo? ¿Quién la creó?**

**79.- ¿Qué tres grandes motivos pueden explicar la crisis de la Baja Edad Media?**

**80.- ¿Cuáles fueron las principales consecuencias de la crisis de la Baja Edad Media?**

**81.- Completa el siguiente esquema:**

```
              ┌─────────────────────┐
              │ Sociedad Estamental │
              └─────────────────────┘
      ┌───────────────┬─────────────────┬───────────────┐
   ┌──────┐       ┌──────┐          ┌──────┐
   │      │       │      │          │      │
   └──────┘       └──────┘          └──────┘
 ┌────┬────┬────┬────┬────┬────┐
 │    │    │    │    │    │    │
 └────┴────┴────┴────┴────┴────┘
```

**82.- ¿Con qué acontecimiento comienza la Edad Moderna?**

**84.- ¿Por qué razón surgieron nuevas rutas comerciales en el siglo XV?**

**85.- ¿Qué instrumentos de navegación surgieron en el siglo XV?**

**86.- ¿Cuántos viajes realizó Colón?**

**87.- ¿En qué consistió el Tratado de Tordesillas?**

**88.- ¿Qué son los pueblos precolombinos?**

**89.- Completa la siguiente tabla con las características más importantes**

| INCAS | MAYAS | AZTECAS |
|---|---|---|
| | | |

**90.- Localiza las siguientes palabras en la sopa de letras:**

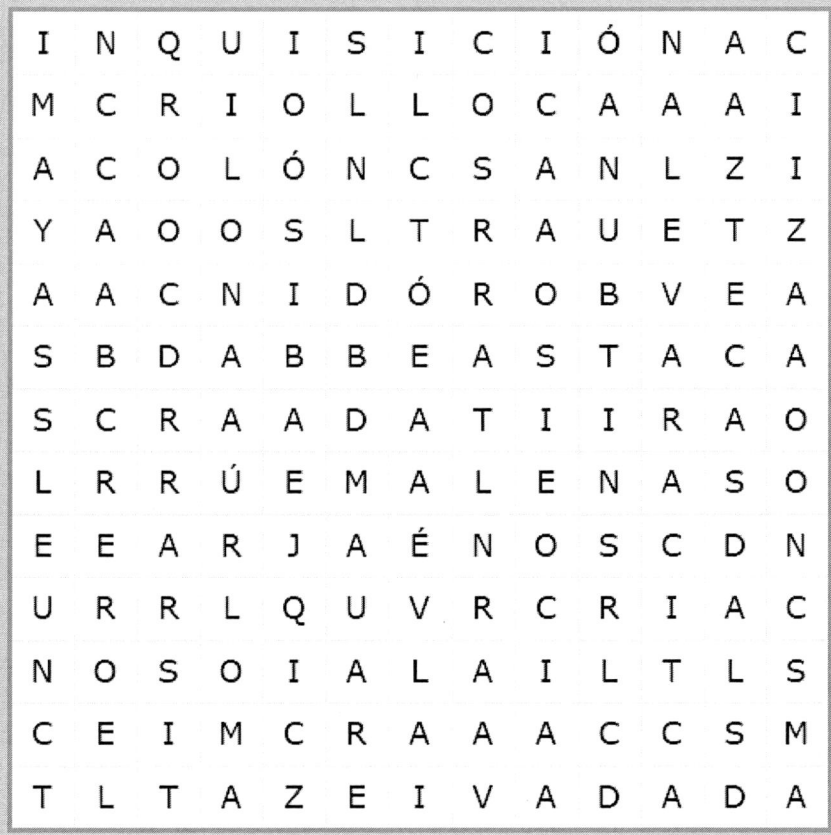

| | | | | | | | | | | | |
|---|---|---|---|---|---|---|---|---|---|---|---|
| I | N | Q | U | I | S | I | C | I | Ó | N | A | C |
| M | C | R | I | O | L | L | O | C | A | A | A | I |
| A | C | O | L | Ó | N | C | S | A | N | L | Z | I |
| Y | A | O | O | S | L | T | R | A | U | E | T | Z |
| A | A | C | N | I | D | Ó | R | O | B | V | E | A |
| S | B | D | A | B | B | E | A | S | T | A | C | A |
| S | C | R | A | A | D | A | T | I | I | R | A | O |
| L | R | R | Ú | E | M | A | L | E | N | A | S | O |
| E | E | A | R | J | A | É | N | O | S | C | D | N |
| U | R | R | L | Q | U | V | R | C | R | I | A | C |
| N | O | S | O | I | A | L | A | I | L | T | L | S |
| C | E | I | M | C | R | A | A | A | C | C | S | M |
| T | L | T | A | Z | E | I | V | A | D | A | D | A |

COLÓN · ASTROLABIO · BRÚJULA · CORREDERA · CARAVELA · INCAS · AZTECAS · MAYAS · VALIDO · INQUISICIÓN · AMÉRICA · CRIOLLO

**91.- ¿A través de qué medios se difundió el humanismo?**

**92.- Busca en internet información sobre Leonardo da Vinci. Destaca alguno de sus inventos. ¿Cuál crees que fue más importante? ¿Por qué?**

**93.- ¿Qué es el Renacimiento?**

**94.- Completa la siguiente tabla:**

| ARTE DEL RENACIMIENTO | | |
|---|---|---|
| | **CARACTERÍSTICAS GENERALES** | **TRES EJEMPLOS** |
| **ARQUITECTURA** | | |
| **ESCULTURA** | | |
| **PINTURA** | | |

**95.- ¿Qué es una monarquía autoritaria?**

**96.- ¿Por qué los Reyes Católicos son un modelo de monarquía autoritaria?**

**97.- ¿Cómo intentaron los Reyes Católicos conseguir la unidad religiosa?**

**98.- Busca en internet información Carlos V y Felipe II, y Realiza un breve árbol genealógico.**

**99.- Completa la siguiente tabla:**

|  | CARLOS V | FELIPE II |
|---|---|---|
| **PRINCIPALES PROBLEMAS EN POLÍTICA INTERIOR** |  |  |
| **PRINCIPALES PROBLEMAS EN POLÍTICA EXTERIOR** |  |  |

**100.- Completa las siguientes frases:**

* En 1580 Felipe II consiguió la corona de ……………………

* Hernán Cortés conquistó el Imperio …………………………..

* Francisco Pizarro conquistó el Imperio ……………………

* Para gobernar los territorios americanos se crearon virreinatos. Los dos primeros fueron el virreinato de …………………………….. y el virreinato del ………………………

**101.- Realiza un esquema con la organización social de la América española.**

**102.- Localiza las siguientes palabras en la sopa de letras:**

CARLOS  FELIPE  GERMANÍAS
COMUNEROS  BANCARROTA
PIZARRO  CORTÉS  ENCOMIENDAS
MITA

**103.- ¿En qué consistió el sistema de encomiendas?**

**104.- ¿Por qué razones el siglo XVII fue una época de crisis demográfica, económica y social?**

**105.- ¿Qué es un valido? ¿Cuáles fueron los validos más importantes?**

**106.- Completa el siguiente párrafo con las palabras que faltan:**

**El siglo XVII en Francia se caracterizó por un sistema de gobierno denominado ………………………………….. Su monarca más importante fue………………….., al que apodaban como el Rey …….. El palacio más importante de Francia fue el Palacio de …………………..**

**Investiga**

**107.- Durante el siglo XVII se desarrolló el método científico. Busca en internet información y destaca al menos 5 personajes científicos de la época e indica por qué fueron importantes.**

**108.- ¿Qué es el Barroco? ¿Cuáles son sus principales características? Puedes realizar un esquema.**

**109.- Completa la siguiente tabla:**

| ARTE BARROCO | | |
|---|---|---|
| | **CARACTERÍSTICAS GENERALES** | **TRES EJEMPLOS** |
| **ARQUITECTURA** | | |
| **ESCULTURA** | | |
| **PINTURA** | | |

HISTORY
(VOCABULARY)

**EDAD MEDIA:**

**TEODOSIO:**

**IMPERIO BIZANTINO:**

**VISIGODOS:**

**BATALLA DE POITIERS:**

**CARLOMAGNO:**

**TRATADO DE VERDÚN:**

**BASILEUS:**

**MOSAICO:**

**MAHOMA:**

**ALÁ:**

**HÉGIRA:**

CORÁN:

MEZQUITA:

CALIFA:

VISIR:

DINAR:

MEDINA:

ZOCO:

ALHÓNDIGA:

ALCÁZAR:

ALHAMA:

SARRACENOS:

FEUDALISMO:

**SEÑOR:**

**VASALLO:**

**NOBLEZA:**

**CLERO:**

**DIEZMO:**

**BARBECHO:**

**TORRE DEL HOMENAJE:**

**CLERO REGULAR:**

**CLERO SECULAR:**

**HEREJÍA:**

**CRUZADAS:**

**ROMÁNICO:**

**GÓTICO:**

**ARADO DE VERTEDERA:**

**LETRA DE CAMBIO:**

**RUTA HANSEÁTICA:**

**GREMIO:**

**PESTE NEGRA:**

**BATALLA DE GUADALETE:**

**REINOS TAIFAS:**

**REINO NAZARÍ DE GRANADA:**

**REINOS CRISTIANOS:**

**ALMORÁVIDES:**

**ALMOHADES:**

**BATALLA DE LAS NAVAS DE TOLOSA:**

**RECONQUISTA:**

**CARTA PUEBLA:**

**EDAD MODERNA:**

**ASTROLABIO:**

**BRÚJULA:**

**ENRIQUE EL NAVEGANTE:**

**TRATADO DE TORDESILLAS:**

**PIZARRO:**

**IMPERIOS PRECOLOMBINOS:**

**ANTROPOCENTRISMO:**

**HUMANISMO:**

**RENACIMIENTO:**

**MARTÍN LUTERO:**

**JUAN CALVINO:**

**ANGLICANISMO:**

**CONTRARREFORMA:**

**BURGUESÍA:**

**MONARQUÍA AUTORITARIA:**

**INQUISICIÓN:**

**MUDÉJARES:**

**CARLOS V:**

**REVUELTA DE LAS COMUNIDADES:**

**GERMANÍAS:**

**FELIPE II:**

**BANCARROTA:**

**VIRREINATO:**

**CRIOLLO:**

**ENCOMIENDAS:**

**CASA DE CONTRATACIÓN:**

**VALIDO:**

**MORISCOS:**

**GUERRA DE SUCESIÓN:**

**MONARQUÍA ABSOLUTA:**

**BARROCO:**

HISTORY
(MAPPING)

**1.- Señala en el mapa con una línea, la división realizada por Teodosio en el año 395.**

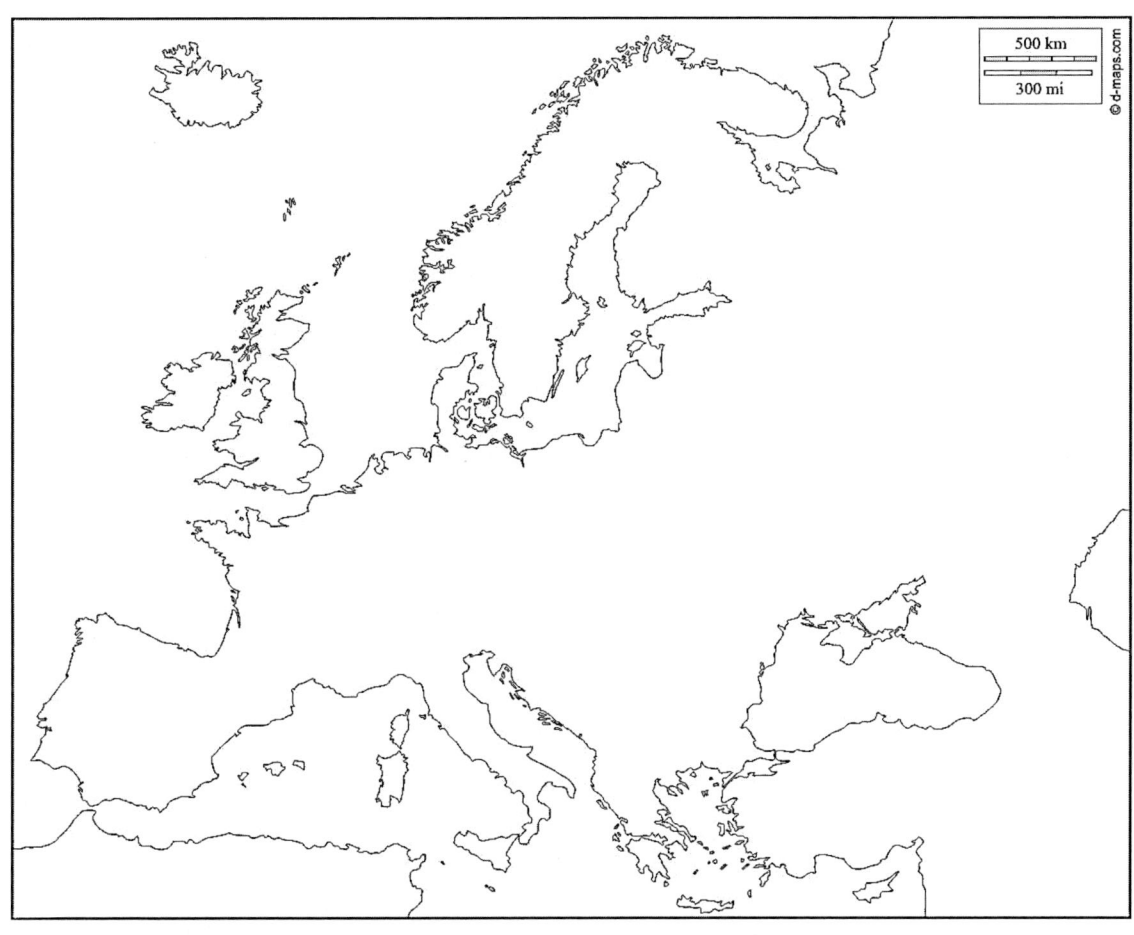

**2.- Señala en el mapa la ruta que siguieron los visigodos hasta asentarse en la península ibérica.**

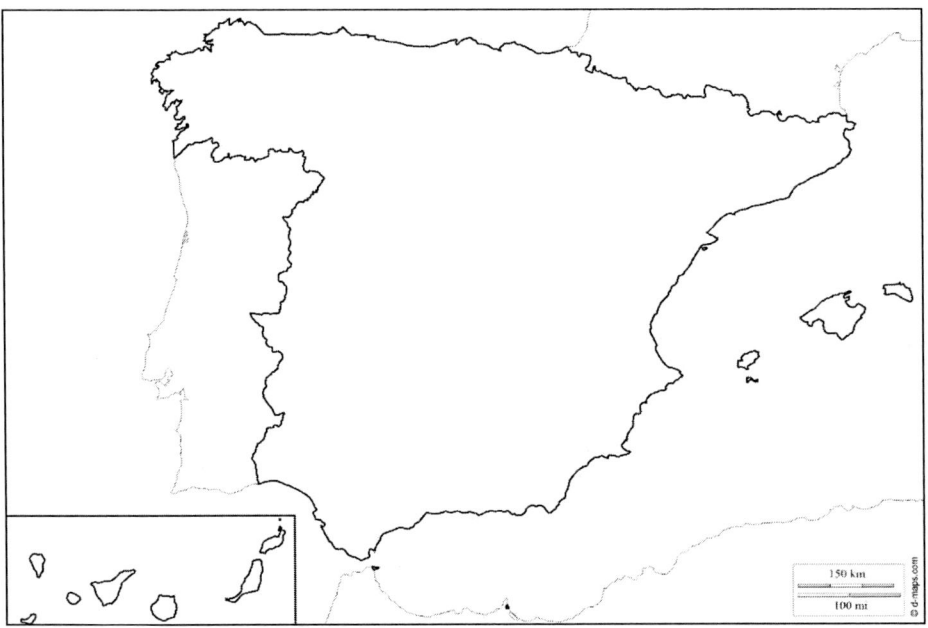

**3.- Colorea sobre el mapa las zonas ocupadas por el Imperio bizantino.**

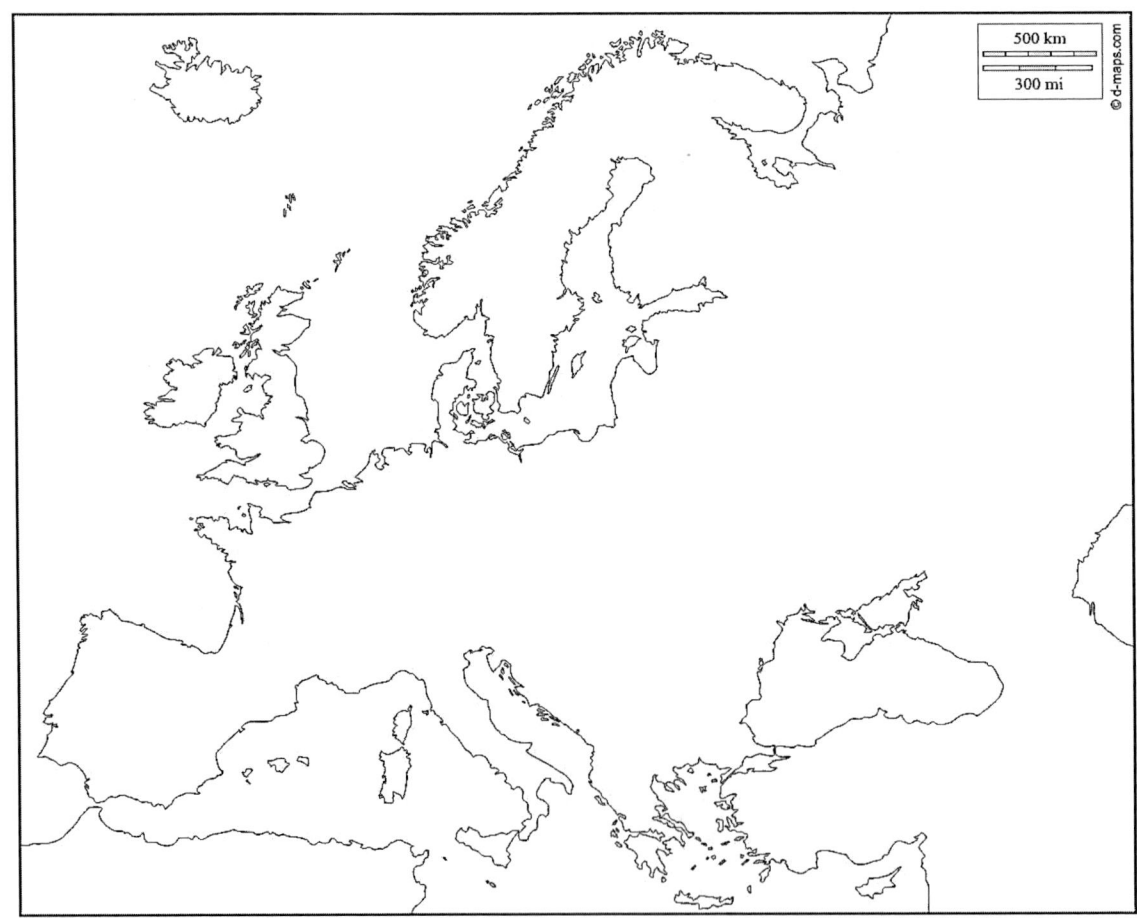

**4.- Sitúa en el mapa las ciudades de Medina y Meca.**

**5.- Colorea sobre el mapa la zona de expansión del Imperio islámico.**

**6.- Sitúa sobre el mapa las rutas de las principales cruzadas.**

**7.- Sitúa en el mapa las principales rutas marítimas en el siglo XII**

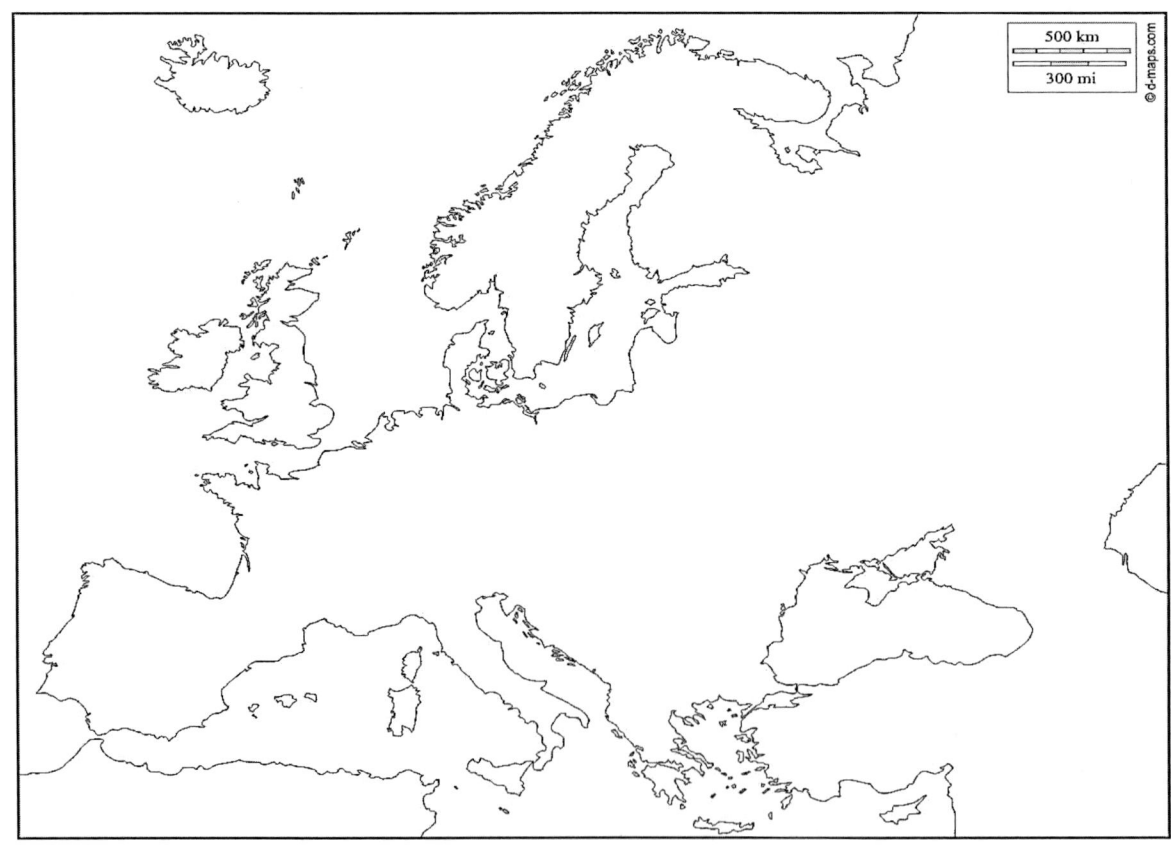

**8.- Sitúa en el mapa el origen y difusión de la peste negra del siglo XIV**

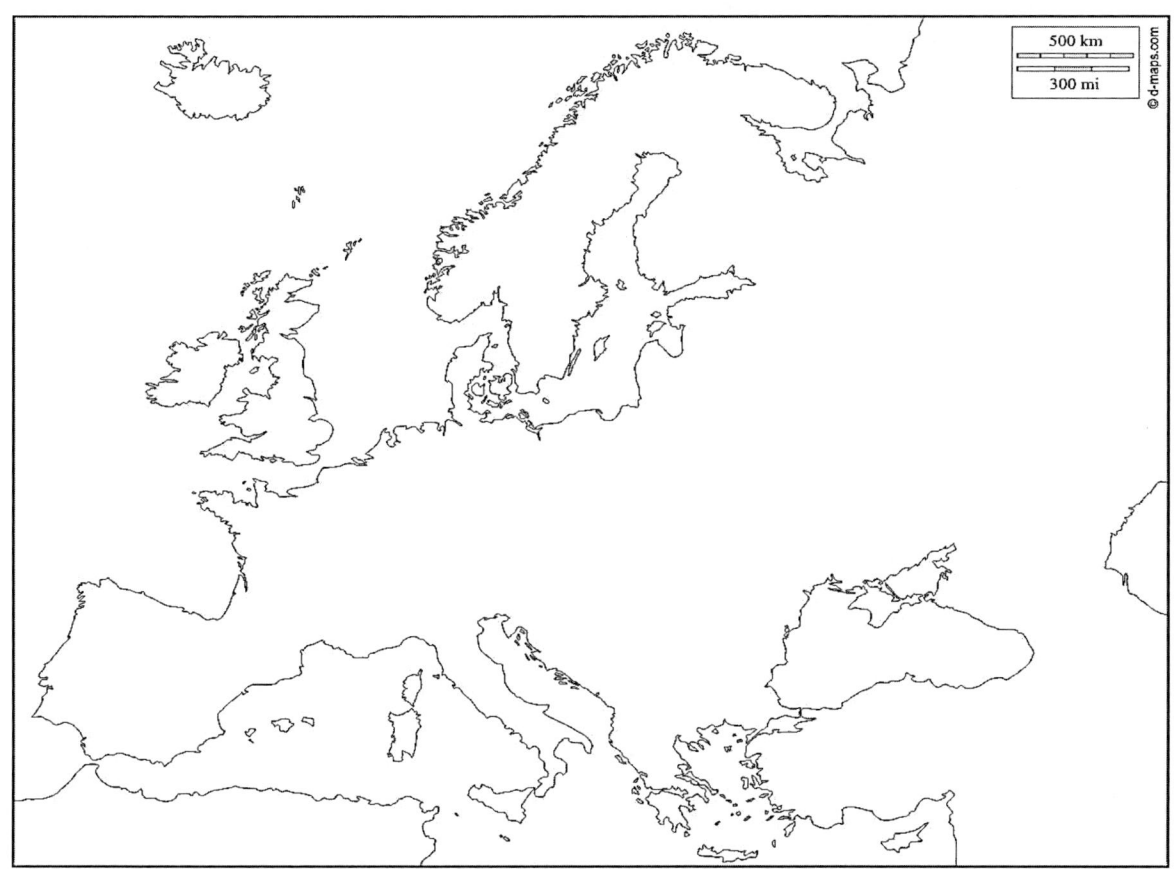

**9.- Señala en el mapa la conquista musulmana durante el siglo VIII y la zona correspondiente a los territorios cristianos.**

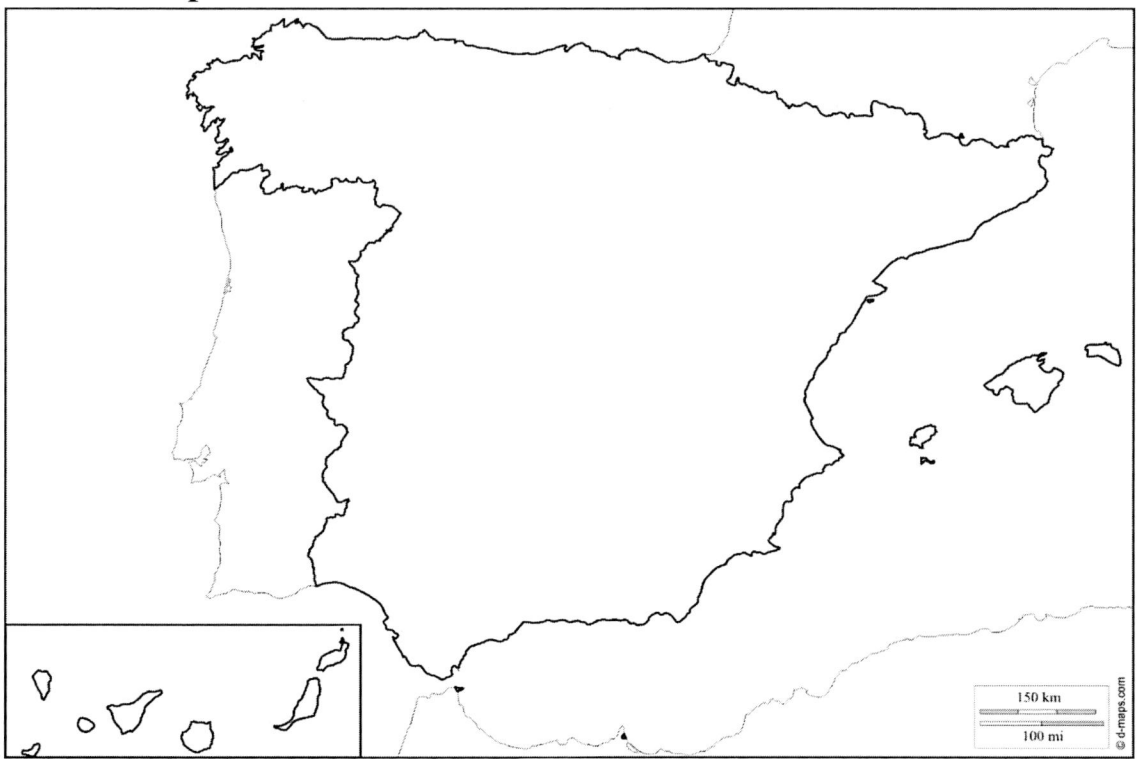

**10.- Señala sobre el mapa el territorio correspondiente al Reino nazarí de Granada.**

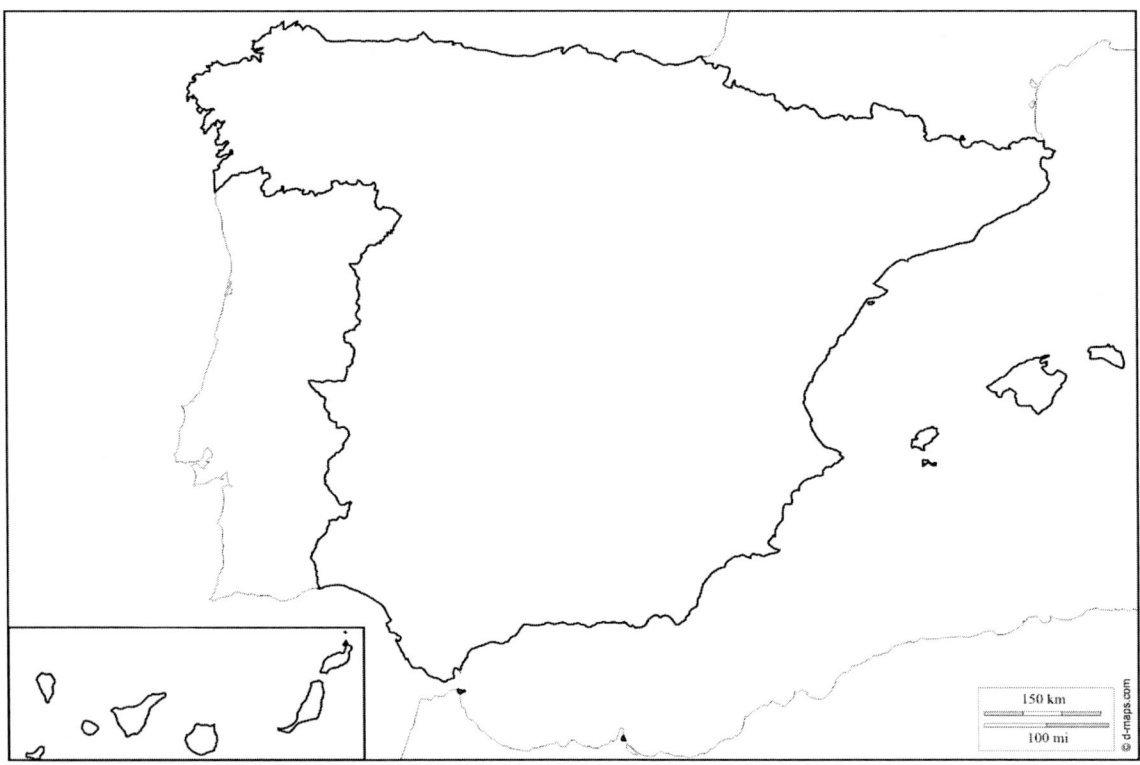

**11.- Señala las posesiones que tenía la Corona de Aragón en el siglo XV.**

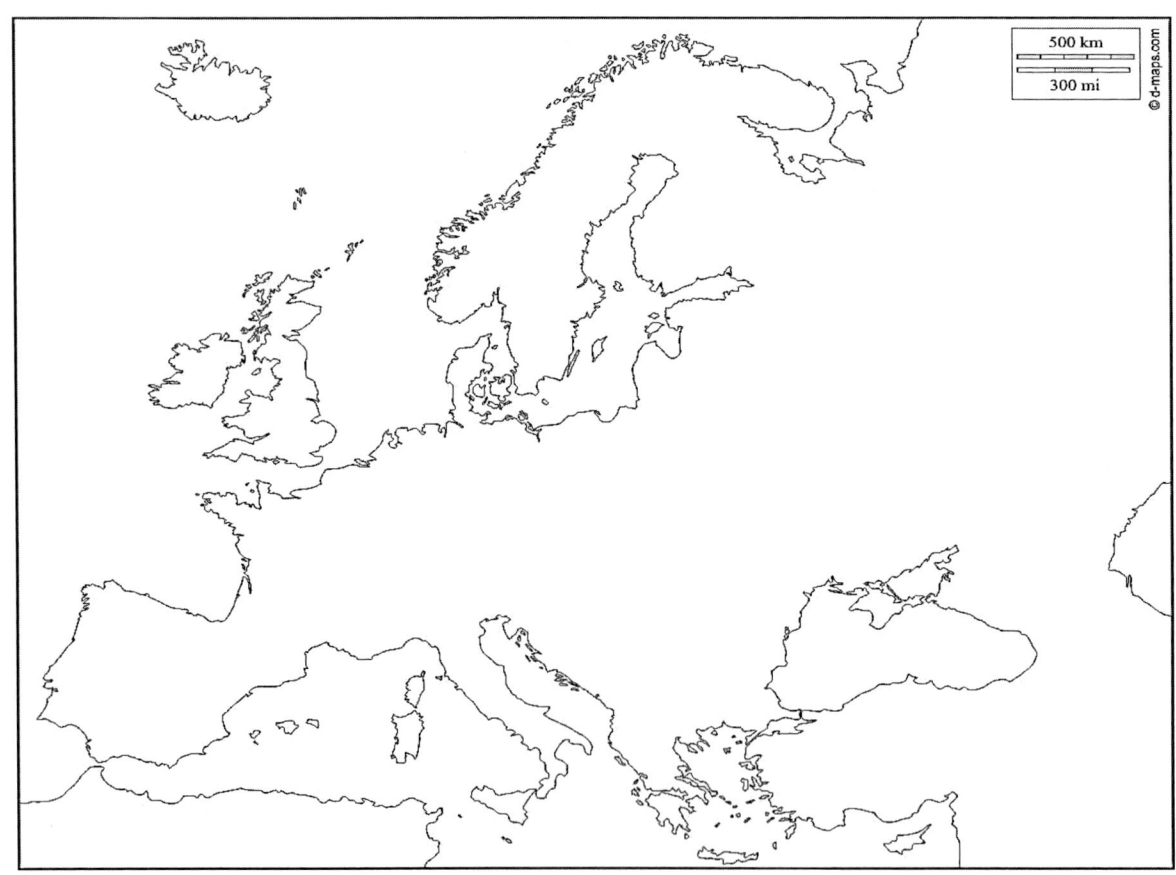

**12.- Indica sobre el mapa la línea de demarcación correspondiente al Tratado de Tordesillas.**

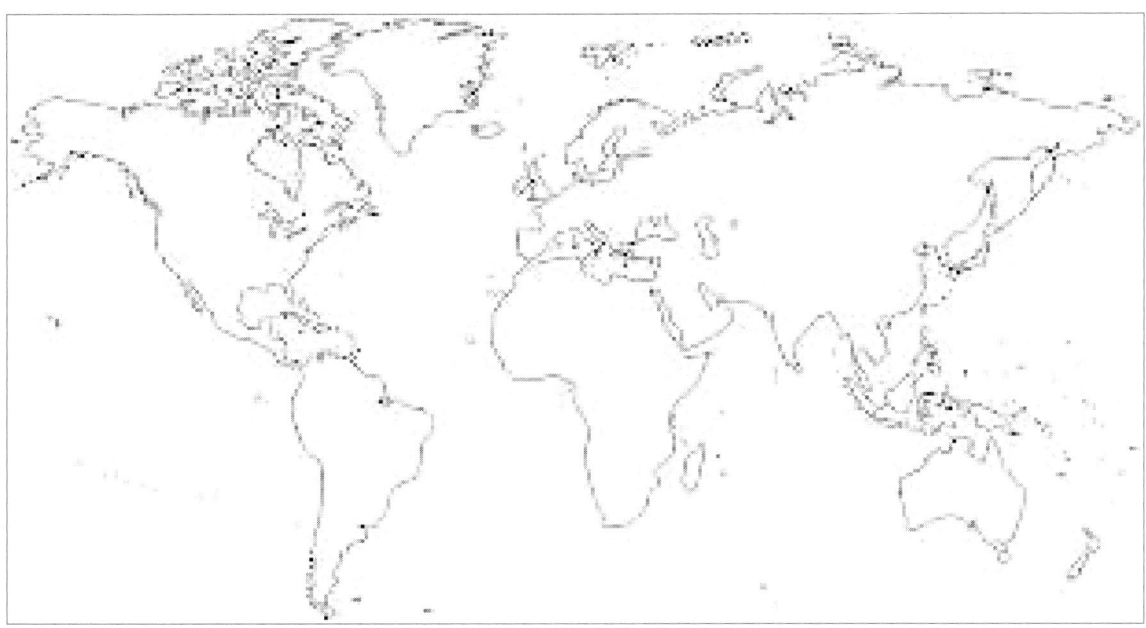

**13.- Dibuja sobre el mapa con diferentes colores las principales exploraciones portuguesas.**

**14.- Dibuja sobre el mapa el primer viaje de Colón.**

**15.- Indica sobre el mapa con tramas de colores dónde se establecieron los pueblos precolombinos. Realiza una leyenda.**

2000 km (equat.)

1000 mi (equat.)

**16.- Señala en el mapa las posesiones territoriales europeas bajo el reinado de Felipe II.**

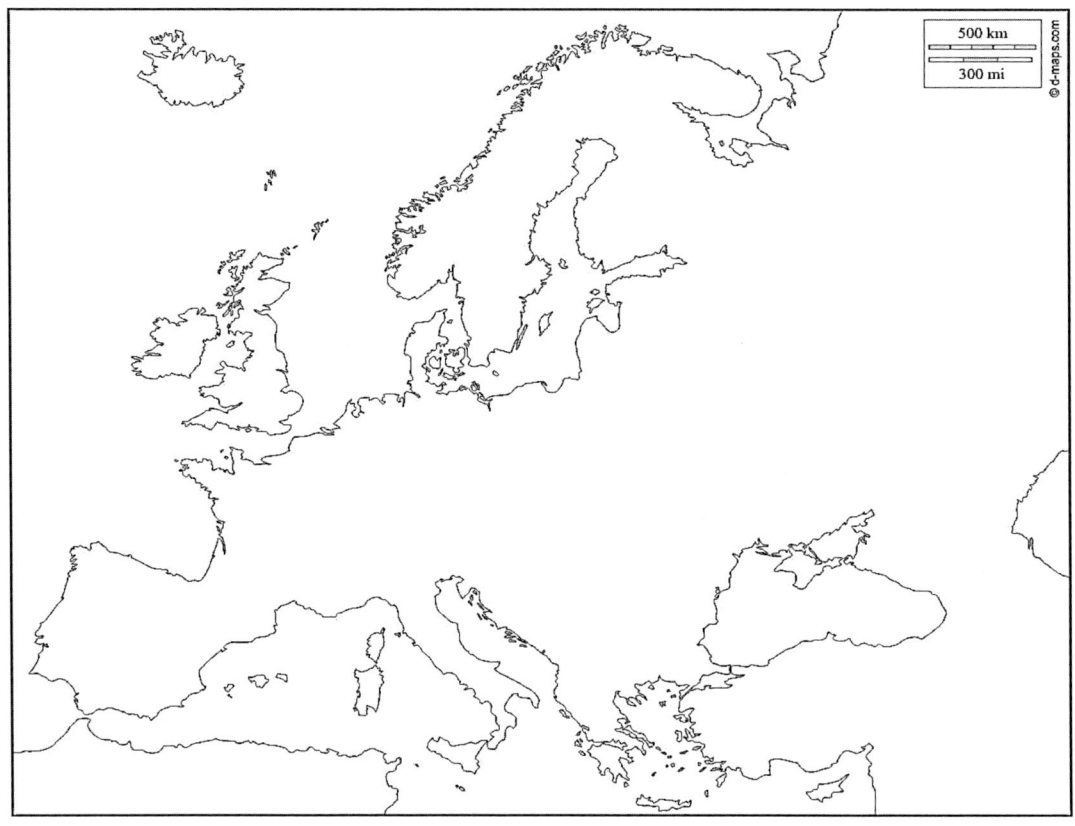

**17.- Sitúa en el mapa el virreinato de Nueva España, y el virreinato de Perú.**

**18.-** Sitúa en el mapa con diferentes colores la expansión en Europa del luteranismo, el calvinismo y el anglicanismo. Realiza una leyenda.